Bienvenue dans le monde des

Téa Sisters

ALBIN MICHEL JEUNESSE

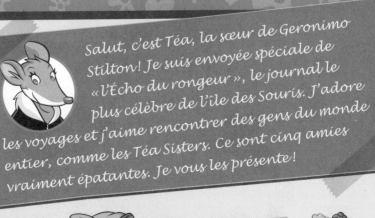

Salut, c'est Téa, la sœur de Geronimo Stilton ! Je suis envoyée spéciale de «l'Écho du rongeur », le journal le plus célèbre de l'île des Souris. J'adore les voyages et j'aime rencontrer des gens du monde entier, comme les Téa Sisters. Ce sont cinq amies vraiment épatantes. Je vous les présente !

Colette a une vraie passion pour le rose et c'est la fille la plus *fashion* du groupe. Toujours occupée à soigner son look, elle est sans cesse en retard !

Violet aime étudier et découvrir sans cesse de nouvelles choses. Elle aime la musique classique et rêve de devenir une grande violoniste !

Paméla mangerait sa pizza adorée même au petit déjeuner. C'est une mécanicienne accomplie. Donnez-lui un tournevis et elle vous réparera n'importe quel moteur!

PAULINA est un peu timide et brouillonne, mais aussi très altruiste. Comme elle aime voyager, elle connaît des gens de tous les pays.

Nicky est passionnée d'écologie et de nature. Elle vient d'Australie et aime la vie au grand air. Elle ne tient pas en place!

Téa Sisters

Texte de Téa Stilton.
*Basé sur une idée originale d'*Elisabetta Dami.
*Coordination des textes d'*Alessandra Berello *(Atlantyca S.p.A.)*
Sujet et supervision des textes de Flavia Barelli *(Red Whale).*
Coordination éditoriale de Patrizia Puricelli.
Édition de Daniela Finistauri *et* Viviana Donella.
Coordination artistique de Flavio Ferron.
Assistance artistique de Tommaso Valsecchi.
Couverture de Giuseppe Facciotto.
Illustrations intérieures de Barbara Pellizzari *(dessins)*
et Alessandro Muscillo *(couleurs).*
Graphisme de Chiara Cebraro.
Cartes : Archives Piemme.
Traduction de Béatrice Didiot.

www.geronimostilton.com

Pour l'édition originale :
© 2010, Edizioni Piemme S.p.A. – Via Tiziano, 32 – 20145 Milan, Italie
sous le titre *La strada del successo*
International rights © Atlantyca S.p.A. – Via Leopardi, 8 – 20123 Milan, Italie
www.atlantyca.com – contact : foreignrights@atlantyca.it
Pour l'édition française :
© 2012, Albin Michel Jeunesse – 22, rue Huyghens, 75014 Paris
www.albin-michel.fr
Loi 49-956 du 16 juillet 1949 sur les publications destinées à la jeunesse
Dépôt légal : premier semestre 2012
Numéro d'édition : 19954
ISBN-13 : 978 2 226 23888 7
Imprimé en France par Pollina s.a. - L58804A

Téa Stilton

ROCK À RAXFORD !

ALBIN MICHEL JEUNESSE

LA TÊTE DANS LES NUAGES !

Un soleil resplendissant chauffait les toits du collège de Raxford, lorsque de nombreux étudiants impatients affluèrent dans la salle de chant. Une leçon spéciale était en effet prévue ce matin-là : la présentation par le professeur Sourya des MUSIQUES populaires de diverses cultures du monde ! Les **Téa Sisters** s'assirent au premier rang, bien décidées à ne pas en perdre une miette. Mais, leur enseignante, habituellement concentrée et efficace, semblait étrangement distraite, comme perdue dans ses pensées !

Elle avait oublié dans la salle des professeurs les photocopies à distribuer aux élèves, peinait à faire fonctionner le lecteur de CD, et avait, plusieurs fois, perdu le *fil de ses explications*. Comprenant qu'elle était en difficulté, les cinq amies s'empressèrent de la secourir.

Nicky, **RÉACTIVE** comme à l'accoutumée, courut chercher les documents manquants. Violet, ATTENTIVE et prévenante, consulta discrètement les ⓝⓞⓣⓔⓢ de l'enseignante et l'aida à reprendre son discours. Enfin, Pam, qui savait faire marcher n'importe quelle **installation**, réussit en un tournemain, grâce à son don magique de **rafistoleuse**, à relancer la sono.

Sourya fourragea dans les CD, puis bredouilla confusément :

– Le morceau que vous allez, euh… entendre est un… eh bien, un parfait exemple de chant traditionnel JAPONAIS !

Lorsque les premières notes résonnèrent, Paulina **murmura** :

– Japonais ?! Mais c'est le son des flûtes typiques de mon pays, le Pérou !

Les étudiants étouffèrent un léger rire,

tandis que leur enseignante, **embarrassée**, se hâtait de changer de disque.

Le cours se poursuivit sans autre anicroche, mais, dès qu'il fut fini, les Téa Sisters, **PERPLEXES**, échangèrent leurs impressions.

– Aujourd'hui, la prof avait vraiment la tête dans les nuages ! commença Nicky. Aurait-elle des soucis ?

– Comme tu dis ! Dernièrement, j'ai remarqué qu'elle passe beaucoup de temps dans le local d'informatique. Face à l'écran, elle ÉCRIT en SOUPIRANT, ou soupire en écrivant... ajouta pensivement Paulina.

– Mmmh... Distraction, alanguissements, erreurs... C'est très clair ! s'exclama soudain Colette. Ces symptômes ne trompent pas : elle est *amoureuse* ! Allons jeter un coup d'œil dans la salle d'informatique, peut-être l'y trouvera-t-on !

Les étudiants étant partis déjeuner, le local était presque désert. Seul un **o r d i n a t e u r** était allumé, devant lequel se tenait… Sourya ! Elle pianotait sur le ⒸⓁⒶⓋⒾⒺⓇ d'un air absorbé, lorsqu'un cri lui échappa :

– *Oh non ! Ce n'est pas possible !*

Un

Mystérieux ami...

Les Téa Sisters, alarmées, se rapprochèrent en toute hâte de leur professeur.

Sourya était en pleine conversation électronique *via* Internet, et, sur l'écran de son ordinateur, s'affichait le dernier message envoyé par son interlocuteur :

« J'aimerais beaucoup organiser leur prochain concert sur l'île des Baleines. Après tant d'années, ce sera **enfin** l'occasion de se revoir ! Qu'en dis-tu ? »

Un CONCERT sur l'île des Baleines ?! Avec qui leur enseignante pouvait-elle bien correspondre ? Et pourquoi avait-elle eu cette étrange réaction ?

Les filles échangèrent un **REGARD** plein de curiosité.

– Rien de grave, mesdemoiselles ! les RASSURA Sourya. J'écrivais à Mark Mausington, un vieil ami que j'ai retrouvé par hasard après de nombreuses années…

Colette, toujours parfaitement RENSEIGNÉE, écarquilla ses grands yeux bleus.

– Mark Mausington ? Le célèbre Mark Mausington, producteur des fabuleux **Ratrock Boys** !?

Ses amies en restèrent bouche bée : les Ratrock Boys étaient le groupe le plus adulé du moment, en tête de tous les classements musicaux !

– Lui-même ! s'AMUSA Sourya. Nous sommes nés dans la même ville et nous nous connaissons depuis l'enfance…

Le professeur tira de sa poche une vieille PHOTO. On y voyait une jeune fille tenant une guitare ornée de rubans de couleur, qui souriait à son camarade avec une expression pleine de JOIE et d'ESPOIR.

De son côté, le garçon, bizarrement coiffé, la fixait TENDREMENT.

C'étaient Sourya et Mausington, il y a bien longtemps !

– Nous étions très PROCHES, liés par notre passion commune pour la musique. À quinze ans, nous avons formé notre premier « **band** » ! expliqua Sourya. On se contentait d'improviser de petits spectacles là où on pouvait, mais c'était très amusant de faire toutes ces expériences **ensemble**...

– Qu'est-il arrivé après ? demanda Violet.

Le visage de Sourya se fit mélancolique.

– Un jour, un agent connu m'a contactée pour un rôle dans une COMÉDIE musicale dirigée par madame Ratinsky. Cette proposition représentait un grand honneur à mes yeux, mais ils ne voulaient que de moi... Je les ai suivis, et, MALHEUREUSE-MENT, à partir de là, Mark et moi nous sommes perdus de vue. Au fil des années, je me suis tenue informée de l'évolution de sa carrière de producteur et de ses succès. Et voilà que, grâce à INTERNET, nous avons repris contact...

Juste à ce moment arriva un nouveau mail de Mausington, rédigé en ces termes :

« Tout va bien ? S'il y a un quelconque **PROBLÈME**, le concert peut avoir lieu ailleurs... »

Sourya tressaillit brièvement, puis tapa sur le clavier :

« Nous serons ravis de vous accueillir à Raxford, toi et les **Ratrock Boys** ! »

Les cinq amies ne purent réprimer un grand cri de joie :

— **YEEEEEEAAAAH !**

Le producteur transmit une suggestion complémentaire : la première partie du concert des **Ratrock Boys** pourrait être assurée par un groupe de musiciens débutants... **CHOISIS** parmi les élèves de Sourya !

Écouter leur groupe préféré en *live* et relever

ensemble un magnifique défi artistique :
les Téa Sisters étaient au septième ciel !
Sourya sourit à la vue de ses élèves sautant de
joie. Puis son expression devint pensive : quel
effet cela lui ferait-il de revoir son ami d'enfance si longtemps après ?

GÉANT !

VIVE LES RATROCK BOYS !

LE DILEMME DE PAM!

Le recteur, madame Ratinsky et les autres professeurs **accueillirent** avec enthousiasme l'idée de Sourya : jouer en ouverture d'un concert professionnel était une opportunité exceptionnelle pour les élèves du cours sur les arts, la musique et le spectacle.

Les **auditions** de sélection des étudiants furent fixées à la semaine suivante, lorsque les Ratrock Boys arriveraient sur l'île.

Ces nouvelles se répandirent comme une traînée de **POUDRE** à travers les couloirs du collège, et bientôt tous, mais vraiment tous, décidèrent de concourir !

Vanilla de Vissen, toujours prête à se faire remarquer, passa d'un groupe à l'autre en assurant qu'elle connaissait parfaitement Mausington et que, pour elle, la victoire était dans la poche. Mais pendant que Vanilla fanfaronnait comme à son habitude, d'autres s'ORGANISAIENT sérieusement.

Les Téa Sisters, qui avaient immédiatement décidé de créer leur propre orchestre, se réunirent dans le local du **CLUB DES LÉZARDS NOIRS** pour se répartir les rôles.

– Nous sommes, toutes les cinq, bien assorties, et chacune de nous sait chanter ou jouer d'un instrument. Nous formons donc pratiquement déjà un **ensemble**, les filles ! observa Nicky.

– Je pourrais peut-être essayer de composer une *mélodie*... hasarda Violet.

– ... que j'interpréterai à la guitare, enchaîna Nicky.

Paulina, radieuse, battit des mains.

– Mon synthétiseur nous fournira les arrangements complémentaires nécessaires. Ce sera comme de disposer d'un **MILLIER** d'instruments ! ajouta-t-elle.

– Ouiiiiiiiiiiii ! vocalisa Colette. Et que diriez-vous si je chantais ?

CHORISTE ?

CE N'EST PAS MON FORT !

– Quant à moi, je JOUERAI… euh… je JOUERAI… ? marmonna Pam, en se grattant dubitative-ment la tête. **PAR MILLE BIELLES EMBIELLÉES**, sœurettes, je ne sais vraiment pas ce que je pourrais faire ! Aussitôt, ses **amies** se regroupèrent autour d'elle, lui proposant diverses solutions :

– Tu seras notre CHORISTE, Pam !

– Non, on a absolument besoin d'un SAXOPHONE !

– Tu as pensé au TRIANGLE ? Dans un groupe, cet instrument est d'un très bel effet…

Mais Pam eut l'impression qu'au-cune de ces suggestions ne lui cor-respondait.

LE SAXOPHONE ?

TROP DIFFICILE !

LE TRIANGLE ?

PAS TRÈS ROCK !

QUEL DILEMME ! Former un groupe sans Pam était hors de question, toutes les Téa Sisters en convenaient ! À un moment, les filles pensèrent carrément ABANDONNER...

Mais Pam fut catégorique.

– Je trouverai une idée, c'est promis ! Pendant ce temps, allez chercher les **INSTRUMENTS** et commencez à vous préparer : je vous rejoins tout de suite dans le studio de répétition !

Le groupe se dispersa et Pam, restée seule, reprit sa **RÉFLEXION**.

« Ah, si seulement je pouvais jouer de la clé anglaise ! » s'amusa-t-elle intérieurement.

DE L'ORAGE DANS L'AIR !

Le professeur Sourya mit à la disposition des **musiciens** amateurs diverses salles du collège. Violet, qui était familière du monde de la musique, prit en main l'organisation des répétitions de leur **groupe**.

Lorsque Nicky et Paulina pénétrèrent dans le local qu'elle avait réservé, elles trouvèrent leur amie qui les attendait avec une copie de la **partition** pour chacune.

Le **MORCEAU** que Violet avait composé était très beau, et Nicky et Paulina commencèrent à l'interpréter avec enthousiasme.

– Attention, Nicky ! l'**INTERROMPIT** soudain Violet, qui écoutait attentivement les essais de ses camarades. ICI, L'ACCORD CHANGE ! Puis, se tournant vers Paulina, qui testait un arrangement au violon sur son synthétiseur, elle l'arrêta :

– UN INSTANT ! CE N'EST PAS TRÈS CONVAINCANT COMME ÇA ! Je propose de remplacer les cordes par les vents ! Mais... au fait, Coco vient ou pas ?!

Juste à ce moment, celle-ci entra précipitamment et lança, tout essoufflée :

– *Excusez-moi, les filles* ! J'ai eu un contretemps à cause de...

AU TRAVAIL !

– AH, TE VOILÀ ! la coupa Violet avec une pointe d'impatience. Au travail, nous, on a déjà commencé ! Courage !

Violet ne cessait de circuler NERVEUSEMENT entre ses amies, leur disant ce qu'elles

avaient à faire et en corrigeant leurs erreurs. Pourtant, malgré le mal que se donnaient Nicky, Paulina et Colette, le résultat laissait à désirer. Leur interprétation semblait toujours dissonante et hors **TEMPO** ! En fait, la cause en était simple : de peur de se tromper, chacune des filles se **CONCENTRAIT** tellement sur sa partie qu'elle en oubliait d'écouter les autres, ruinant l'harmonie de l'ensemble. C'était… un **DÉSASTRE** !

– Stop, les filles ! **LÂCHA** finalement Violet, exaspérée. Ce n'est pas du tout la musique que j'ai composée pour notre groupe !

– On fait tout ce qu'on peut, Vivi ! répliqua Nick, **LASSE** et à bout de **NERFS** après une répétition aussi longue et peu fructueuse.

ÉPUISÉE, Colette confirma :

– C'est vrai ! Laisse-nous le temps d'apprendre !

– C'est la **PREMIÈRE FOIS** que nous jouons cette partition, rappela Paulina d'un ton plus conciliant. Nous y mettons tout notre cœur, ce qui est plus important qu'une performance impeccable...

Ces paroles laissèrent Violet de **PIERRE** : peut-être s'était-elle montrée un tout petit peu trop sévère, mais la musique réclamait de la discipline !

– Mais... Mais... bredouilla-t-elle. Je fais ça pour le groupe ! **VOUS NE COMPRENEZ DONC PAS !**

– Nous ne sommes pas aussi douées que toi, reprit Nicky, donc, souviens-toi que ce morceau nous demande le **DOUBLE** d'efforts ! Et on en a assez d'être constamment reprises...

– C'est uniquement pour vous faire progresser ! s'entêta Violet. La musique **EXIGE** du sacrifice, de la sueur et de l'investissement...

JE M'EN VAIS !

– Oui, mais aussi de la joie, de la passion et de l'enthousiasme ! intervint Colette. Et moi, pour être honnête, je ne m'amuse pas du tout !

Violet se tut un moment, puis conclut, l'air vexé :

– **DANS CE CAS, VOUS VOUS DÉBROUILLEREZ BIEN MIEUX SANS MOI !**

Sur ces mots, elle **releva** le nez et quitta le studio de répétition sans se retourner. Ses amies la suivirent des **YEUX**, sans rien faire pour la retenir…

L'expérience du **groupe** musical des Téa Sisters allait-elle finir dans la *DISCORDE* ?

TIP-TABADAP-TAP !

Entre-temps, ignorant tout des difficultés que traversaient les autres Téa Sisters, Pam déambulait dans le collège à la recherche d'une idée. Les COULOIRS étaient déserts, tous les étudiants étant plongés dans les répétitions. Tous… ou presque ! Soudain surgit à l'angle d'un couloir Elly Calamaro, qui ralentit sa course HALETANTE pour saluer son amie :

– Salut Pam !

– Coucou Elly ! répondit Pam avec un pâle sourire. Comment se fait-il que tu ne sois pas, toi aussi, en train de préparer les AUDITIONS ?

– Oh, ne m'en parle pas ! répliqua la jeune fille.

Craig, Tanja et moi avons formé un groupe, mais nous avons une montagne de choses à faire en un **TEMPS** record !

Lorsqu'Elly lui demanda où en étaient, de leur côté, les Téa Sisters, Pam lui confia ses hésitations :

– S'il s'agissait de danse, je n'aurais aucun problème : en **HIP HOP**, je suis championne ! Mais je n'ai pas la grâce requise pour jouer de la musique...

Tandis qu'elle parlait, appuyée contre le mur, Pam se mit à tambouriner distraitement dans son dos.

– Elly, je n'arrive pas à trouver un instrument qui me corresponde ! conclut-elle en continuant à **marteler** légèrement la paroi de ses doigts.

TEBEDEP-TAP-TABADAP-TIP !

J'AI UNE IDÉE !

TAPTAP !

Tout à coup, le visage d'Elly s'illumina et celle-ci annonça :

– Eh bien, moi, je te dis qu'il existe quelque chose fait pour toi, Pam ! Suis-moi !

Sans même attendre qu'elle réponde, Elly prit sa camarade par le bras et l'**ENTRAÎNA** à travers les rues du village jusqu'au *Zanzibazar*, le magasin géré par ses sœurs.

Elle guida Pam dans la boutique, qui **DÉBORDAIT** d'objets en tous genres : des cartons à chapeaux, des fers à repasser, un siège à bascule, des fauteuils tendus de velours, un gramophone, une paire de vieux skis…

– C'est vrai qu'au *Zanzibazar* on trouve presque tout ! commenta Pam en détaillant les marchandises, émerveillée.

Elly s'approcha d'une masse recouverte d'une **grande** bâche blanche.

– Très juste ! Et c'est pour ça que nous sommes venues ! Regarde !

D'un geste, elle souleva la toile, dévoilant… la plus belle batterie que Pam avait jamais vue !

Les tambours et les caisses s'ornaient de langues de feu jaunes serpentant sur un fond rouge **BRAISE**. L'ensemble n'était pas de première jeunesse, mais il semblait PARFAIT !

– Waouh ! s'exclama Pam, les yeux BRILLANTS.

– Autrefois, c'était la passion de mon père, expliqua Elly. Quand il saura que c'est pour la bonne cause, il te la prêtera avec PLAISIR !

– Elly, tu es géniale ! s'écria Pam en se jetant à son cou pour la remercier. Comment n'y

ai-je pas pensé moi-même ?

En effet, Pam aimait beaucoup les **PERCUSSIONS**.

Lorsqu'elle était enfant, elle improvisait souvent des concerts en tapant avec des louches sur des marmites !

Une fois assise derrière la batterie, Pam se sentit immédiatement à l'aise et se livra à un énergique petit solo.

BAM-BALALAM-BAM !

QUELLE PAGAÏE !

Quand Paméla regagna le collège, le soleil se COUCHAIT, faisant miroiter sur l'horizon marin mille reflets ROUGE et OR.

La jeune fille était impatiente de raconter à ses amies l'incroyable découverte qu'elle avait faite au *Zanzibazar*.

L'accueil qu'elle reçut ne fut cependant pas du tout celui qu'elle attendait.

– Eh, les filles ! claironna-t-elle gaiement. J'ai une nouvelle fantasouristique à vous annoncer !

Mais elle s'arrêta aussitôt, REGARDANT autour d'elle avec étonnement. Nicky pinçait mélancoliquement les **CORDES** de sa guitare, tandis que Colette et Paulina, entourées de boules de papier FROISSÉ, GRIFONNAIENT sans entrain sur leur bloc-notes déjà couvert de **RATURES**.

– Hé, pourquoi ces têtes d'enterrement ? dit Pam. Et surtout… où est Violet ?!

– Oh, Pam, heureusement te voilà ! soupira Colette.

Et de lui résumer la situation :
– D'après Violet, on ne travaille pas assez bien. Elle a passé la journée à nous faire la **LEÇON**. Et soudain tout est devenu très compliqué. Nous en avons **discuté** en vain… et maintenant nous ne savons plus quoi faire !
Les trois malheureuses musiciennes racontèrent alors plus en détail les difficultés qu'elles

avaient rencontrées lors de la répétition et leur dispute avec Violet.

– Puis nous avons eu l'idée d'écrire un BEAU texte pour la partie chantée dans l'espoir de faire revenir Violet… conclut Paulina en désignant le PAPIER chiffonné par terre. Nous nous creusons la tête depuis des heures, mais impossible d'écrire une ligne !

– Quelle PAGAÏE ! commenta Pam.

Juste à ce moment, Shen pointa le nez à la porte.

– Je peux entrer ? Comment vont les répétitions de mon orchestre préféré ? s'enquit-il.

Même lui s'aperçut aussitôt que quelque chose allait de travers. Il tenta de leur redonner courage.

– Vous êtes fatiguées ! La journée a été longue pour tout le monde ! Une bonne **NUIT** de sommeil vous remettra sur pied !

Les Téa Sisters approuvèrent sa proposition et s'**ACHEMINÈRENT** vers la porte en bâillant.

– Tu as raison, Shen, reconnut Nicky. Reposées et l'esprit frais, nous trouverons un moyen de résoudre cette situation !

Shen les regarda s'éloigner, puis ses yeux tombèrent sur les papiers que les filles avaient **jetés**. Il lut quelques-unes des phrases qui y étaient inscrites et murmura dans un sourire :

– Sûr que vous dénicherez une solution… peut-être pourrai-je même vous y aider !

NOCTURNE POUR PIANO ET VIOLON

La **NUIT** avait fini par tomber sur Raxford, et tous les étudiants étaient allés se coucher. L'une d'entre eux avait cependant le plus grand mal à dormir : Violet !

Après la PRISE DE BEC avec ses

amies, la jeune fille s'était précipitée dans sa chambre, **INDIGNÉE** : le groupe avait besoin de quelqu'un qui ait les idées claires en matière de musique...

POURQUOI LES AUTRES N'ARRIVAIENT-ELLES PAS À LE COMPRENDRE ?

Puis, une fois calmée, Violet s'était aperçue qu'elle avait *EXAGÉRÉ*.

Le principal n'était évidemment pas de devenir un groupe à succès, mais de partager cette expérience avec ses **amies** !

« Je dois trouver le moyen de nous tirer de cette AFFREUSE impasse ! » songea-t-elle.

Elle se leva, enfila sa robe de chambre et prit son inséparable violon : jouer l'aidait toujours à se calmer, et, une fois sa sérénité revenue, il lui viendrait certainement une idée.

Elle sortit pour se rendre dans la salle insonorisée du collège.

Dès qu'elle en poussa la porte, elle fut saisie par les **NOTES** d'une *MÉLODIE* romantique. À son grand étonnement, elle découvrit, assise au 𝖕𝖎𝖆𝖓𝖔… le professeur Sourya !

– Violet ! s'exclama celle-ci, surprise. Que fais-tu ici à cette heure… et avec ton violon ?!

– Eh bien… j'avais besoin de me détendre et de réfléchir un peu… expliqua la jeune fille.

Sourya baissa la tête d'un air entendu.

– Bien sûr… moi aussi, comme tu le vois, je m'**ISOLE** pour jouer quand je suis soucieuse. **Mais, dis-moi, que se passe-t-il ?**
Violet, qui à ce moment avait profondément besoin d'une oreille **AMICALE**, raconta à l'enseignante son litige avec les autres Téa Sisters. Sourya écouta en silence, puis murmura :
– La musique et l'amitié sont deux DONS précieux, mais qui ne font pas toujours bon ménage…
Elle invita alors Colette à s'asseoir à côté d'elle.

– Quand Mark et moi étions gamins, la musique était tout pour nous, commença

t-elle à raconter. Chaque après-midi, nous nous retrouvions pour jouer et nous discutions pendant des heures de nos nouveaux morceaux…

À nouveau résonna dans l'air le THÈME musical qu'interprétait Sourya quand Violet l'avait interrompue.

– C'est la dernière chanson que nous avons composée ensemble. Nous l'avions intitulée SUR LA ROUTE DU SUCCÈS, un chemin que nous espérions parcourir ensemble...

– Et, au lieu de ça, qu'est-il arrivé ? l'interrogea Violet.

Sourya soupira.

– À cette époque, nous n'avions pas fini de GRANDIR et chacun de nous tentait d'imposer ses idées à l'autre. C'est ainsi que notre entente, simple et spontanée au départ, s'est COMPLIQUÉE !

Violet acquiesça : ce récit lui rappelait la situation d'incompréhension avec ses amies !

– Un jour, nous nous sommes disputés juste avant un concert, se souvint le professeur. Je

GRRR!

TU NE M'ÉCOUTES JAMAIS!

m'étais mis en tête de finir SUR LA ROUTE DU SUCCÈS d'une certaine manière, mais Mark n'était pas d'accord... Finalement, nous sommes entrés sur scène FÂCHÉS et n'avons ensuite pas échangé le moindre regard ! Et c'est juste après ce spectacle qu'un agent m'a proposé de faire des scènes loin de là.

Violet OBSERVE son enseignante, qui avait soudain l'air TRISTE !

– Comme j'étais encore FURIEUSE contre Mark, j'ai dit oui. Le jour suivant, je lui ai téléphoné, mais il s'est montré très **FROID** et m'a seulement souhaité bonne chance ! S'il m'avait demandé de rester, je ne serais jamais *PARTIE* !

Violet fut très impressionnée par ces confidences.

– Vous voulez dire que votre amitié s'est brisée à cause d'une... **CHANSON** ?

– En fait, nous nous sommes éloignés l'un de l'autre quand nous avons arrêté de nous parler et surtout de nous écouteя ! précisa Sourya. Tes camarades cherchaient à te dire quelque chose, aujourd'hui, mais peut-être ne l'as-tu pas vraiment entendu. Je me trompe ?

Violet fit signe que non.

– Je voulais seulement qu'elles me suivent, moi... Et je n'ai pas compris ce qu'elles exprimaient !

LES ROCK
SISTERS !

Cette **NUIT**-là, Paméla aussi peinait à trouver le sommeil. Sans allumer, elle se leva et s'engagea sur la pointe des pieds dans les couloirs DÉSERTS du collège.

— ♣HEUREUSEMENT♣ que j'ai ma réserve secrète de biscuits ! se consola-t-elle en entrant silencieusement dans la salle du **CLUB DES LÉZARDS NOIRS**.

Elle s'apprêtait à ouvrir le garde-manger, quand elle se retrouva face à un visage tout blanc.

Elle bondit de surprise, suscitant pour seule réaction de la part de l'apparition… un éclat de rire !

– C-Colette ! C'est toi ?! bredouilla Pam.

Pas de doute : c'était bien son amie qui se tenait là, en robe de chambre rose, chaussée de ses

mules à **POMPONS** et avec un masque au yaourt
sur le visage !

– Quand je suis **NERVEUSE**, rien de tel
qu'un traitement de beauté pour me calmer, tu
sais ! expliqua Colette, d'un ton ANIMÉ.

– Moi aussi, j'ai besoin de retrouver ma bonne
humeur ! lui confia Pam en croquant un biscuit
aux céréales.

Puis les deux amies se prirent par le bras et
repartirent vers le dortoir. Dans le couloir, elles
rencontrèrent Nicky, qui venait du gymnase.

– Sans un peu d'exercice, impossible d'évacuer
mes pensées négatives ! précisa celle-ci.

Les trois filles se dirigèrent alors vers la salle
d'informatique à la recherche de Paulina, qu'elles trouvèrent en effet penchée sur un
ordinateur.

Toutes les quatre RÉUNIES, elles décidèrent de
ne pas attendre le lendemain pour se réconcilier

avec Violet. Quitte à la tirer du lit, elles devaient lui parler SUR·LE·CHAMP pour la convaincre de réintégrer le groupe !

Elles sortaient juste du local des ORDINATEURS, quand elles se retrouvèrent nez à nez avec leur amie, accompagnée de Sourya.

Surprises, les cinq Téa Sisters marquèrent un temps d'arrêt, puis éclatèrent de rire : elles étaient vraiment trop DRÔLES, toutes en pyjamas et pantoufles dans ce couloir obscur !

Violet se jeta dans les bras de ses amies en
sanglotant.

– Oh, pardonnez-moi, les filles ! J'ai vraiment
été bête !

– Non, répondirent-elles, c'est nous qui avons
été injustes ! Tu voulais seulement nous aider…
Une fois le malentendu dissipé, les **Téa
Sisters** se retrouvèrent plus unies que
jamais.

– Vous formerez un groupe exceptionnel, j'en suis persuadée ! les félicita Sourya en constatant leur parfait accord.

– Peut-être bien ! Nous sommes cinq amies inséparables... qui relèvent le défi du rock ! Nous nous appellerons donc... les **Rock Sisters** ! s'exclama Paulina avec fougue.

– Ça me plaît ! C'est le nom idéal pour notre ensemble ! acquiesça Violet.

– Ouais !!!!!! s'écrièrent les trois autres en se serrant AUTOUR d'elle.

La paix était conclue et un nouvel orchestre était né !

UNE MAUVAISE SURPRISE

Le lendemain matin, le recteur, les professeurs et une **foule** d'admirateurs des Ratrock Boys se rendirent de bonne heure à l'héliport pour accueillir le groupe culte.

Les Téa Sisters, électrisées, se tenaient au premier rang. Le dernier arrivé fut Shen, qui, un paquet de feuilles à la main, s'immobilisa pour voir où se trouvaient ses amies.

POUF ! POUF !

– Eh, tu es en retard ! l'interpella Vik, étonné. Et tout ce papier, c'est pour les autographes ?!

Secouant la tête, Shen répondit :

– Non, c'est le texte de la chanson des Téa Sisters ! J'ai passé la **NUIT** à l'écrire !

– Ce sera forcément mieux que l'affreuse rengaine qu'elles répétaient hier... ironisa Vik.

C'est alors que l'hélicoptère transportant Mausington et ses protégés se posa sur la piste.

Un tonnerre d'applaudissements éclata spontanément parmi les spectateurs.

CLAP! CLAP! CLAP! CLAP!

Lorsque la lourde porte de l'avion bascula et que Sourya aperçut le visage de son ami d'autrefois... son cœur se mit à battre plus fort !

– Euh... Mark, je te souhaite la bienvenue au nom du collège de Raxford ! réussit-elle à dire

EUH... BIENVENUE À RAXFORD, MARK !

M-MERCI !

avec une tranquillité étudiée, tout en tendant la main au producteur.

Mausington bredouilla un vague merci, avant de se retrancher dans un silence embarrassé.

Tous deux se FIXÈRENT pendant un bon moment encore, comme si, autour d'eux, il n'y avait plus personne.

Soudain, le murmure de la foule enfla en une véritable CLAMEUR : les Ratrock Boys,

Hourra !
Fabuleux !
Vive les Ratrock Boys !
HOURRA !
Ratrock Boys
Ratrock Boys
Bravo !

tant attendus, s'apprêtaient à sortir de l'hélicoptère.

Sur la passerelle apparurent quatre garçons à l'air MAUSSADE, qui chaussèrent d'un même mouvement leur paire de **lunettes** noires.

À peine Bud, le guitariste, eut-il mis pied à terre qu'il commença à râler :

– Pfff ! Encore un de ces endroits paumés au milieu de nulle part…

– Tu l'as dit ! confirma Raven, le bassiste, en recoiffant ses cheveux blonds d'un air suffisant.

– Et il y a l'éternelle **MEUTE** de filles hurlantes… ajouta Jamal, le chanteur.

Enfin descendit Joël, le batteur, à l'épaisse chevelure **FRISÉE**.

Jamal s'approcha du recteur, et, posant nonchalamment une main sur son épaule, s'exclama :

– Dites-moi, cet endroit est un vrai trou ! Où est-ce qu'on s'amuse, par ici ?

Les Téa Sisters, qui se tenaient tout près de l'ESCALIER de débarquement, ne pouvaient en croire leurs oreilles.

– C'est eux, les artistes du groupe que nous admirions tant ? s'écria Violet, ébahie.

– Ils n'éprouvent aucun RESPECT ni pour leurs admirateurs ni pour leurs hôtes, lança amèrement Nicky.

Colette était la plus DÉÇUE de toutes.

– Dire que j'ai acheté tous leurs albums ! soupira-t-elle.

Si les Téa Sisters avaient changé d'**opinion** sur les musiciens, quelqu'un d'autre, au contraire, ne les en aimait que plus : Vanilla de Vissen !

Arborant un large SOU-RIRE, la jeune fille rejoi-

MERCI POUR L'INVITATION, MAIS...

gnit le producteur et les invita, lui et le groupe, à une fête sur le yacht de sa mère. Les quatre garçons acceptèrent avec **empressement** !

Mausington, lui, semblait moins emballé.

– Nous viendrons, merci, confirma-t-il avant d'ajouter : si toutefois Sourya et les autres professeurs sont conviés aussi !

Le sourire de Vanilla DISPARUT aussitôt. La jeune fille voulait profiter de l'occasion pour persuader le producteur de les choisir, elle et ses amies, comme groupe pour assurer la première partie du concert des Ratrock Boys, mais, avec les autres enseignants à bord, elle aurait plus de mal à influencer son opinion !

En revanche, la requête de Mark fit BRILLER les yeux de Sourya, qui avait hâte de passer un peu de temps avec son ancien partenaire. Peut-être leur amitié n'était-elle pas complètement finie !

UN REDOUTABLE RIVAL

Après la cérémonie de bienvenue, les Téa Sisters convinrent de se retrouver dans le studio de répétition à un moment de l'après-midi. Pam se dirigea vers son quatre-quatre, à l'arrière duquel elle avait chargé la batterie rouge prêtée par le père d'Elly.

Quelle ne fut pas sa surprise de découvrir...
Joël, le batteur des **Ratrock Boys**, à côté de sa
voiture.

– Salut, ma grande ! Ces deux merveilles sont
à toi ? l'aborda-t-il en désignant d'un seul geste
le ▓▓▓▓▓▓▓▓ et l'**INSTRUMENT**.

Joël avait un sourire contagieux, un regard
magnétique et... une vraie passion pour les
automobiles en plus de celle pour les percussions !

Pam se retrouva très vite à **BAVARDER** avec lui
comme avec un vieil ami.

Le musicien semblait être un garçon simple. Il
s'était d'ailleurs éloigné des autres parce qu'il
n'aimait pas les bains de foule.

Que de points communs ! Et, comme il EXCEL-
LAIT à la batterie, il dispensa à Pam une série
de précieux conseils...

« En fin de compte, ce Joël ne ressemble pas

JE PEUX TE DONNER DEUX-TROIS CONSEILS POUR LA BATTERIE !

GÉNIAL !

aux autres membres du groupe ! » se dit-elle, **AGRÉABLEMENT** surprise.

Cependant, quelqu'un les observait de loin, l'air **CONSTERNÉ** et le cœur lourd : Shen ! Après avoir cherché désespérément ses cinq amies parmi les admirateurs des nouveaux venus, il avait fini par repérer sa Pam ADORÉE, mais… elle n'était pas seule !

La voir partager une telle complicité avec la fascinante vedette ROULA le timide garçon.

– C'est Joël, l'un des musiciens des mythiques

Ratrock Boys, murmura-t-il en secouant la tête. Je n'ai aucune chance de gagner le cœur de Pam avec ma STUPIDE chanson !

Il froissa la feuille sur laquelle il avait mis son texte au propre et la jeta. Puis il s'ÉLOIGNA, tête baissée, pendant que Pam, qui ne s'était aperçue de rien, continuait à discuter avec Joël.

Vik, qui avait assisté à la scène sans se faire remarquer, s'approcha, **iNTRiGUé**. Il ramassa la boule de papier, la déplia et commença à lire. Une étrange lueur **ÉTINCELA** au fond de ses yeux verts.

Lorsqu'il eut fini, il replia soigneusement la feuille et la **mit** dans sa poche.

RÉPÉTITION...
DE POMPONNAGE !

Cet après-midi-là, les Téa Sisters réussirent finalement à travailler comme un vrai **orchestre**.
Pam se **déchaîna** à la batterie, tandis que Nicky lui donnait la réplique à la guitare.

YEAHHH !

Paulina et Violet les accompagnaient avec force effets **DIGITAUX** et de **claviers**.

– Hé, les Rock Sisters ! On tient la *pole position* ! clama finalement Pam.

Et toutes d'applaudir JOYEUSEMENT.

La seule à ne pas se joindre à l'euphorie générale était Colette : elle devait, en effet, se contenter de chauffer sa voix, faute d'avoir un texte à chanter...

– Moi, au moins, j'aurai essayé d'en écrire un ! fit valoir Pam, qui, le matin même, avait soumis à ses amies les paroles d'une chanson.

– Tes 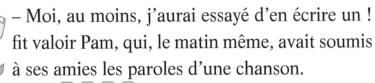 n'étaient certes pas sans intérêt… commenta précautionneusement Violet.

Mais Nicky se montra plus directe :

– Les Rock Sisters ont besoin de quelque chose de mieux que : « Avec toi, je vole, je cours, BOLIDE, mon seul amour ! »

– Amour ! s'écria Colette. Voilà la solution : écrivons une chanson d'*amour* !

Désignant les feuillets roses que Colette avait répandus un peu partout, Paulina lui rappela :

– Nous avons déjà essayé…

Prenant l'un des papiers, elle lut :

– « Mon cœur est en TRANSE, j'en perds mes sens, appelez l'ambulance ! »

Les filles se REGARDÈRENT, puis éclatèrent de rire.

– C'est vrai, on ne peut pas se présenter avec un ⓣⓔⓧⓣⓔ pareil, reconnut Colette, hilare.

De leur côté, les Vanilla Girls affrontaient leurs propres **difficultés**...

Pour se préparer à la fête donnée ce soir-là sur le yacht familial, Vanilla avait transformé sa chambre en un véritable salon de beauté, et poussait ses amies à répéter leur chanson en même temps qu'une armée d'esthéticiennes les coiffaient et les MAQUILLAIENT.

– Attention, les filles : la voix de la chanteuse vedette doit dominer toutes les autres ! brailla Vanilla en brandissant une brosse à cheveux.

– Et quand a-t-on décidé que ce serait toi la chanteuse vedette ? lâcha Connie.

Vanilla lui **CLOUA** le bec :

– Quand vous avez accepté de passer l'audition en interprétant la fabuleuse chanson que ma mère a fait ÉCRIRE pour nous par les meilleurs compositeurs !

– D'accord, d'accord ! intervint Zoé pour calmer le jeu. Mais apprendre une chanson dans ces conditions n'est pas facile !

Et Alicia d'ajouter :

– Si seulement on pouvait s'épargner le casque chauffant… Je n'arrive même pas à entendre ma voix !

– Et quelle différence croyez-vous que cela fasse ?! RICANA dédaigneusement Vanilla. Vous ne savez donc pas que les contrats d'enregistrement se signent lors des réceptions et pas au moment des auditions ! Le cocktail de ce soir est notre porte d'entrée dans le monde du SPECTACLE ! Connie et Zoé acquiescèrent, mais Alicia n'était pas encore convaincue.

– Bon... Mais les Téa Sisters, elles, répètent tout ce qu'il y a de plus sérieusement !

Vanilla, envahie par la COLÈRE, perdit son sourire.

– Si ce n'est que ça, moi aussi, je peux passer aux choses sérieuses, comme tout le monde s'en apercevra bientôt... lâcha-t-elle.

Puis, elle saisit son téléphone portable et s'éloigna, l'air MYSTÉRIEUX.

PERFIDE
BAVARDAGE

Les lumières du collège s'allumaient, une à une, sur fond de soleil COUCHANT, lorsque les Téa Sisters émergèrent, ÉPUISÉES, du studio de répétition.

– Oaaah ! La musique est au point, il ne nous manque plus que le texte ! conclut en bâillant Nicky, qui était à bout de *forces*.

Dans le couloir, une silhouette élégante s'avança au son cadencé de hauts talons martelant le sol.

TIC-TIQUETICTAC-TAC !

Les filles restèrent sans voix : il s'agissait du professeur Sourya, vêtue d'une robe en TULLE sombre, rehaussée d'un bustier en dentelle, et dont la taille était soulignée par un ruban rouge noué dans le dos. Elle était resplendissante !

– Comme vous êtes élégante, mademoiselle ! la complimenta Violet, **ADMIRATIVE**.

– Merci… Mais je suis surtout en retard ! répondit Sourya dans un *souffle*.

Violet repensa au récit de l'enseignante et imagina combien elle devait être ÉMUE de revoir son ami Mark après de si nombreuses années.

– Ça va être une soirée **MAGNIFIQUE**, vous verrez ! lui prédit Violet en souriant.

Les filles accompagnèrent leur professeur jusqu'au portail du collège, où un TAXI l'attendait pour la conduire à la réception.

BONSOIR, LES FILLES !

– Que c'est beau ! soupira Colette, dont les yeux bleus *étincelaient*. On dirait un conte de fées...
– ... dont Mark serait le prince charmant ! compléta *rêveusement* Violet.
Mais, tandis que Sourya, pleine d'espoir, roulait vers le port, sur le yacht de Vissia de Vissen, sa fille Vanilla préparait à l'enseignante une *surprise*... qui n'avait rien de féerique.
Après avoir déployé mille et un stratagèmes pour tenter de se faire remarquer du producteur, Vanilla s'était rendue à l'évidence : Mark Mausington ne lui accordait pas le moindre **REGARD** !
Il arpentait nerveusement le pont du bateau, l'air mal à l'aise dans son ÉLÉGANT costume, et ne cessait de surveiller l'entrée du port, comme s'il guettait quelqu'un.
Vanilla s'**ASSOMBRIT** : sûrement, le producteur espérait-il voir arriver Sourya ! Il avait

tant insisté, le matin même, pour qu'elle soit invitée... Vanilla était certaine que Mausington portait à la jeune femme un intérêt particulier. Elle décida donc de capter son attention en parlant d'elle.

– Sourya m'a souvent parlé de votre amitié, lança-t-elle avec un sourire feint.

– Ah oui ?! MURMURA-t-il, soudain intéressé. Et... qu'a-t-elle dit ?

Vanilla se mit alors à énumérer une montagne d'ANECDOTES, inventées de toutes pièces, dans l'espoir de faire apparaître l'enseignante sous un mauvais jour et de ramener l'attention de Mausington sur elle.

– Vous savez... chuchota-t-elle, elle raconte que, de vous deux, elle est la seule qui jouait vraiment bien !

Le producteur s'écria :

– Comment ?!?

Le persiflage de Vanilla avait réussi à le **CONTRARIER**. Mais la jeune fille ne put profiter longtemps de sa MANIGANCE : Mausington, au lieu de s'intéresser à elle, s'éloigna et resta à l'écart pendant toute la soirée.

DEUX AMÈRES DÉCEPTIONS

Après le dîner, les Téa Sisters se réunirent avec leurs amies dans la salle du Club des Lézards noirs.

Tout à coup, en plein **MILIEU** d'une conversation, le portable de Pam se mit à sonner.

BIIIIIP !
BIIIIIP !

– Qui cela peut-il être, à cette heure ?! marmonna la jeune fille, étonnée.

Puis, voyant le numéro qui s'affichait sur l'écran de son téléphone, elle écarquilla les yeux.

C'était Joël, le batteur des Ratrock Boys ! Pam lui avait laissé son ⓝⓤⓜⓔⓡⓞ, sans penser qu'il l'APPELLERAIT un jour !

Mais le jeune musicien, lui, n'avait attendu que ça pendant toute la soirée. À la fin, il avait décidé de filer de la fête, qu'il trouvait ENNUYEUSE à mourir, pour proposer à sa nouvelle amie de se voir pour bavarder un peu. Ce n'était pas tous les jours qu'il rencontrait une

C'EST JOËL !

A-ALLÔ...

QUELLE ÉMOTION !

fille sympathique et jolie… qui partageait ses passions pour les MOTEURS et la batterie !

En un clin d'œil, Pam organisa une petite sortie pour manger une GLACE en compagnie des autres Téa Sisters, à laquelle Joël accepta volontiers de se joindre. Ils se donnèrent rendez-vous, un moment plus tard, sur le port.

Arrivées sur le quai, les filles aperçurent Sourya, qui descendait du yacht et s'engouffrait dans un TAXI. L'enseignante leur adressa un petit salut, mais les Téa Sisters comprirent IMMÉDIATEMENT que quelque chose n'allait pas. Elle n'arborait pas son habituel sourire RADIEUX !

– Elle aussi désespérait de pouvoir enfin s'en aller. Toute la fête a tourné autour de Vanilla ! leur expliqua Joël.

Durant le trajet pour se rendre au village, le jeune homme leur raconta le déroulement de la réception, et les cinq amies SAISIRENT pourquoi Sourya était aussi affligée. Mark s'était comporté comme un MALOTRU : non content de ne pas l'inviter à danser ne serait-ce qu'une fois, il l'avait ignorée et laissée seule pendant toute la soirée.

Quelle DÉCEPTION cela avait dû être pour Sourya, qui se faisait une joie de le revoir ! Lorsque tous eurent fini de déguster leur glace, ce fut l'heure pour les filles de rentrer au collège, et Joël proposa de les raccompagner. Sur le chemin du retour, Pam et lui restèrent en arrière, absorbés par leur conversation à bâtons rompus. Pam croyait rêver... Pourtant, elle aussi allait connaître une cuisante désillusion !

– Après ce concert, je partirai prendre un peu de repos en Europe, histoire de me détendre et de trouver de nouvelles inspirations, déclara

Joël à un certain moment. J'aimerais que tu viennes avec moi !

Pam, vivement émue, ROUGIT, mais secoua la tête.

– Merci, mais je ne peux pas. Tu sais, j'ai mes examens au collège et je dois présenter un projet avec les autres Téa Sisters…

Joël la regarda, **ÉBERLUÉ**.

– Des examens ?! La vie est faite pour être vécue, pas gaspillée à passer des examens !

Pam rétorqua, **STUPÉFAITE** :

– Mais le collège est important pour moi ! Et je me suis engagée à mener à terme un travail collectif avec mes amies…

Joël lui demanda alors d'un ton **MOQUEUR** :

– Tu renoncerais donc à l'appel de la vie pour… tes amies ?

Soudain, Pam vit son compagnon d'un *AUTRE* œil.

– Mes amis et ma famille… voilà ma vie ! Pouvoir compter sur eux et savoir qu'ils peuvent s'appuyer sur moi est l'essentiel pour moi ! **BONNE NUIT !** abrégea-t-elle.

Puis, pressant le pas, elle s'éloigna.

Joël en resta pantois : **QUELLE DRÔLE DE FILLE !**

BEAUCOUP PLUS QU'UNE CHANSON !

Le lendemain, Mausington et les Ratrock Boys visitèrent le COLLÈGE. Le recteur, fier et digne, les guida à travers les couloirs et les salles. Durant toute la présentation, Sourya adopta, quant à elle, une attitude détachée.

Le producteur l'observait, DÉCOURAGÉ : il comprenait qu'il avait tout gâché la veille, mais ne savait comment réparer les dégâts.

Pam aussi était d'une HUMEUR noire : toujours fâchée contre Joël, elle se bornait à fixer le VIDE.

Colette, Violet, Nicky et Paulina ne savaient plus de quel côté se tourner : entre l'air REN-FERMÉ de Pam, la FROIDEUR de Sourya, le malaise de Mausington et les minauderies de Vanilla, la matinée semblait interminable !

Quel soulagement quand, finalement, les Téa Sisters purent se retirer dans le studio de répétition ! Elles y découvrirent pourtant une étrange *surprise*.

Violet remarqua immédiatement une feuille froissée à côté du MICRO, et, intriguée, la lut : « Chères Téa Sisters, cette chanson est pour vous : utilisez mes **PAROLES**, si elles vous

NON, JE REFUSE DE LUI PARLER !

plaisent. Elles sont entièrement vôtres, puisque c'est vous qui les avez inspirées. »

– Waouh ! s'écria Colette, extasiée. Nous formons un groupe depuis moins d'une semaine et nous avons déjà un *admirateur* !

Le texte parlait d'une jeune fille joyeuse et pleine de vie, une experte de la **MÉCANIQUE** qui surmontait toutes les difficultés en gardant le sourire…

Toutes se tournèrent aussitôt vers Pam, qui devint **ROUGE** comme une tomate.

– Vous pensez que… qu'il s'agit de moi ?

Violet prit la feuille et s'approcha du synthétiseur.

– En plus, le refrain convient parfaitement à notre *MÉLODIE*, écoutez un peu !

Pendant que Paulina jouait, deux auditeurs imprévus tendirent l'oreille de l'extérieur. C'était Vik et Shen, qui passaient voir comment se déroulait la répétition.

CE TEXTE EST PARFAIT !

– M-mais... c'est ma chanson ! s'exclama Shen en entendant les paroles. Comment ont-elles...

Shen se tourna vers Vik, qui, s'aperçut-il, RIAIT sous cape cape, content de lui.

Il avait patienté jusqu'au moment opportun pour glisser la FEUILLE aux Téa Sisters, et avait attiré Shen dans le studio exactement en même temps, sous le prétexte d'y saluer les filles.

– C'était vraiment un beau texte, se justifia Vik. Je ne pouvais pas te laisser le jeter aux quatre vents !

– Shen, tu ne le croiras jamais ! l'apostropha Nicky en le voyant entrer. Nous avons trouvé le texte de notre chanson !

Vik était resté à écouter dehors, savourant à l'avance l'instant de la révélation, mais ce qu'il entendit lui fit l'effet d'une douche FROIDE !

Violet déclara à Shen sans ciller :

– Ça vient de Joël, on en est cer-taines ! La **CHANSON** parle clairement de Pam : il l'a écrite pour qu'elle lui pardonne !

Les filles se pressèrent autour de Pam, qui n'avait pas encore l'air convaincu.

Shen, trop TIMIDE pour révéler la vérité, resta silencieux.

DES AUDITIONS SABOTÉES !

Le lendemain débutèrent les **AUDITIONS**. Le jury pénétra dans l'amphithéâtre et prit place au premier RANG. Mausington était assis à côté de Sourya, qui **REGARDAIT** ailleurs.

Immédiatement après *ENTRÈRENT* le recteur et madame Ratinsky, jurés d'exception, suivis des Ratrock Boys, qui s'installèrent derrière les professeurs.

La liste de passage des candidats fut affichée à l'extérieur, et, dans les **COULISSES**, les premiers groupes commencèrent à se préparer.

Pam repéra avant les autres le nom des Rock Sisters sur le document.

– Ce sera bientôt à nous ! Nous sommes en quatrième position, annonça-t-elle à ses amies.

– Alors, **dépêchons**-nous de récupérer nos instruments ! proposa Violet.

Dans le studio de répétition les attendait pourtant une terrible surprise : la batterie de Pam, le synthétiseur de Paulina, la guitare de Nicky et tout le reste de leurs affaires s'étaient volatilisés !

– M-mais, ce n'est pas possible ! Où est passé notre matériel ? s'écria Paulina, interloquée.

À ce moment, une voix familière se fit entendre près de la porte.

– Oooh, quelle tragédie ! Comment allez-vous faire pour vous présenter à votre audition ?!

C'était Vanilla, qui venait constater en personne l'aboutissement de ses SOMBRES embrouilles.

– Vanilla ! Tu ne sais évidemment rien de cette MYSTÉRIEUSE disparition, n'est-ce pas ?! l'entreprit sévèrement Pam.

Mais avant que celle-ci puisse répliquer, son portable sonna.

– Oups, excusez-moi ! dit-elle, il faut que je réponde !

Et elle disparut.

À l'autre bout du fil se trouvait Alan, le secrétaire MULTIFONCTIONS que Vissia de Vissen avait mis à la disposition de sa fille.

– Mademoiselle Vanilla, commença-t-il avec déférence, j'ai subtilisé les instruments comme vous me l'avez **DEMANDÉ** et je les ai chargés dans une camionnette. Mais... euh... qu'est-ce que j'en fais maintenant ? Où dois-je les porter ?

– Je ne sais pas et ça ne m'intéresse pas ! rétorqua-t-elle d'un ton désinvolte. Cachez-les quelque part, puis **ABANDONNEZ**-les sur la place du village. L'important est que les Téa Sisters ne les trouvent pas avant la fin des auditions... C'EST COMPRIS ?!

TOUT N'EST PAS PERDU !

VOICI LA SOLUTION !

– Nom d'une mozzarella périmée ! **explosa** Pam, furibonde. Sans nos instruments, nous sommes vraiment dans le pétrin...

Les filles se regardèrent : après tout le mal qu'elles s'étaient donné, les disputes, les répétitions interminables... c'était trop injuste de devoir **RENONCER** !

Paulina, cependant, ne s'avouait pas vaincue.

– Tout n'est pas perdu ! annonça-t-elle en brandissant triomphalement un CD sous le nez de ses amies. Visez ça ! Notre musique est sauvegardée là-dessus ! Pour exploiter mes pistes enregistrées, il me suffira donc d'emprunter un autre synthétiseur... Or je sais déjà à qui m'adresser !

En effet, le professeur Van Kraken venait juste d'en acquérir un tout neuf pour reproduire les cris de la faune MARINE.

– Son appareil est différent du mien, reconnut la jeune fille, mais je devrais pouvoir l'utiliser ! J'aurai seulement besoin d'un peu de temps...

– DU TEMPS ! bougonna Nicky. Comme si nous en avions... Bientôt, ce sera notre tour !

– Eh bien, je vais essayer de convaincre Mausington de nous placer en fin de liste, déclara Colette.

– C'est ça, Coco ! l'encouragea Violet, dont le visage s'ÉCLAIRA d'espoir. Moi, je pourrais demander au groupe d'Elly de nous prêter une guitare.

– Et Joël me passera sa **batterie**, compléta Pam. S'il nous a aidées pour le texte de la CHANSON, il ne devrait pas refuser de nous aider de nouveau, qu'en dites-vous, les filles ?

– Je dis que nous tenons notre plan de secours ! s'écria Pam en laissant libre cours à son ENTHOUSIASME, aussitôt imitée par ses amies.

AU TRAVAIL, LES TÉA SISTERS !

– Au travail, les **Téa Sisters** ! conclut Colette. Il n'y a pas de temps à perdre !

Les filles se séparèrent, chacune chargée d'une **MISSION** à accomplir.

Colette se hâta aussitôt vers l'AMPHITHÉÂTRE pour parler à Mark Mausington. Parviendrait-elle à le persuader de modifier le programme pour faire passer leur groupe à la fin ?

Quand elle arriva aux abords de la salle, elle découvrit Mark en train de faire les cent pas dans le **COULOIR**. Le producteur était terriblement affligé du **malentendu** qui l'avait brouillé avec Sourya. Les longues années durant lesquelles ils s'étaient perdus de vue avaient été une véritable *souffrance* pour lui, et, maintenant qu'il avait retrouvé son amie d'autrefois, il ne pouvait se résoudre à la perdre de nouveau !

Colette s'approcha, se présenta et lui expliqua **brièvement** la situation avant de lui soumettre sa requête :

– Pourriez-vous nous faire jouer en dernier ?

La jeune fille fut spontanément *sympathique* à Mausington, comme s'il la connaissait depuis un *MOMENT*... Il était d'ailleurs étrangement sûr de la connaître !

– Mais bien sûr ! s'exclama-t-il finalement. Tu es la *Colette* des Téa Sisters ! Sourya m'a beaucoup parlé de vous : de tous ses élèves, vous êtes parmi les plus prometteuses !

Gênée, Colette s'EMPOURPRA.

– Elle nous a parlé de vous aussi et des circonstances dans lesquelles vous avez commencé à jouer **ensemble**... Elle évoque cette époque avec beaucoup de tendresse, vous savez ?

Les paroles de Colette firent revenir la joie sur le visage de Mausington. Soudain, le producteur sut ce qu'il devait faire.

– C'est D'ACCORD pour vous placer en fin de liste, finit-il par répondre à Colette.

Puis il ajouta :

– Mais avant que tu files, j'aurais un service à te demander...

PEUT-ON ÊTRE AMIS ?

De son côté, Pam trouva Joël qui se promenait dans le PARC autour du collège.

Le garçon la salua et lui demanda doucement si elle était encore FÂCHÉE contre lui.

La jeune fille lui renvoya un chaleureux sourire : en fait, elle l'avait jugé trop vite et tenait à le remercier de la chanson qu'il avait écrite pour elle !

– Quelle chanson ? s'étonna le batteur des Ratrock Boys, quand elle eut fait allusion à la feuille que les Téa Sisters avaient trouvée dans le studio de répétition.

Et d'ajouter :

– Un *texte* ? Je n'ai rien écrit du tout, ces derniers jours : j'ai déjà la tête en vacances ! En plus, je n'ai pas l'habitude d'offrir mes chansons, moi !

Pam sortit alors une copie du document et la lui mit sous le nez.

– Ne blague pas ! Tu ne reconnais pas ces paroles ? Elles ne sont pas de toi ?

Joël prit le papier et le lut **attentivement**,

CE N'EST PAS TOI QUI AS ÉCRIT CE TEXTE ?

puis, il fixa la jeune fille d'un air à la fois **INTRIGUÉ** et fasciné.

– J'aimerais vraiment en être l'auteur, confia-t-il. C'est une MAGNIFIQUE chanson, et la personne qui l'a écrite doit vraiment t'aimer beaucoup, tu sais !

Paméla, ROUGISSANT, détourna les yeux. Cette fois, c'était au tour de Joël de la REGARDER autrement !

– Maintenant, je comprends pourquoi tu ne veux pas partir avec moi, ajouta-t-il. Ce doit être formidable de pouvoir compter sur des AMIS qui te connaissent aussi bien et t'apprécient pour ce que tu es !

– Moi aussi, j'ai appris quelque chose : toi et moi sommes DIFFÉRENTS, mais cela ne veut pas dire que nous ne pouvons pas être copains !

Joël *éclata* d'un rire franc et lui dit :

– Tu es décidément incroyable !
Enfin, il n'hésita pas à prêter
sa batterie à Pam pour l'audition.

BRAVO, PAM !

Quand elle regagna l'amphithéâtre, les Téa Sisters l'y
attendaient.

– Ouf, tu y es arrivée ! soupira Violet, pendant que
Colette **COURAIT** embrasser
la dernière venue.

– Nous avons trouvé des instruments de rem-
placement, il ne manquait plus que toi ! lui
annonça Nicky.

– **CHUTTT, LES FILLES !** les exhorta Paulina en
pointant le nez hors des coulisses. C'est bientôt
à nous !

Sur la **SCÈNE** se produisait en effet l'avant-
dernier groupe : les Vanilla Girls !

Lumières, chorégraphie, costumes, arrangements musicaux et jusqu'aux chœurs pré-enregistrés, tout était PARFAIT grâce aux professionnels engagés par Vissia de Vissen !

Ce qui n'allait pas, en revanche, c'était la prestation des quatre filles. Vanilla s'époumonait pour dominer la voix des autres, quitte à chanter FAUX ! Connie et Zoé, au contraire, étaient presque INAUDIBLES. Quant à Alicia, elle ne cessait de se tromper dans les paroles et d'intervertir les couplets... Un vrai DÉSASTRE, qui ne pouvait échapper à l'oreille avertie d'un producteur comme Mausington !

De fait, quand la MUSIQUE s'arrêta, Mark se leva et déclara :

– Je suis très impressionné par votre numéro, mesdemoiselles...

Vanilla sourit, convaincue d'avoir brillamment passé l'épreuve.

– … mais j'aimerais vous entendre sans l'accompagnement, poursuivit-il à la **SURPRISE** générale. J'aimerais pouvoir me rendre compte si votre voix vient du **cœur**… ou des amplificateurs !

Les Vanilla Girls échangèrent un regard atterré : chanter sans fond musical ?! Elles n'étaient pas du tout préparées à ça !

JE VEUX JUSTE ENTENDRE VOTRE VOIX !

Vanilla invoqua quelques excuses, puis cher-
cha du soutien auprès des **Ratrock Boys**, mais
aucun ne vint à son secours. Elle finit par fondre
en larmes, mais Mausington fut intraitable.

– Votre voix, mademoiselle de
Vissen ! la coupa le producteur. Je veux seulement entendre votre VOIX à l'état naturel.
Ainsi acculée, Vanilla décida de se retirer de la
compétition.
Elle avait si PEU répété qu'elle ne voulait pas
risquer de CHANTER comme une casserole
devant TOUS ses camarades.

Sa carrière de rockeuse

finissait donc

avant même d'avoir

commencé !

LE SUCCÈS PASSE PAR LE CŒUR !

Enfin arriva le tour des Téa Sisters, qui étaient dans un état de grande fébrilité !

Paméla révéla à ses amies que ce n'était pas Joël qui avait **ÉCRIT** le texte : l'identité du mystérieux auteur restait donc encore à **DÉCOUVRIR** ! C'est pourquoi, avant que le groupe commence à jouer, Paméla, en accord avec ses amies, prit le micro de Colette pour faire une annonce :

– Nous dédions ce morceau au **DISCRET** inconnu qui nous a grandement aidées… Qui que tu sois, merci ! Tu nous as fait un cadeau de rêve !

Dans le public assistant aux **AUDITIONS** se trouvaient Vik et Shen, les seuls à connaître la vérité... Vik se tourna vers son ami et lui fit un clin d'œil. Celui-ci porta aussitôt un index devant sa bouche pour prévenir son voisin de ne pas dévoiler son secret. Peut-être un jour raconterait-il toute l'histoire. « Mais pas aujourd'hui, songea Shen. À cette heure, tous les PROJECTEURS doivent être braqués sur les Rock Sisters ! »

Les filles attaquèrent immédiatement avec leur chanson. Toutes se sentaient remplies d'ÉNERGIE et Colette chanta avec beaucoup de passion. À la fin de leur prestation, madame Ratinsky leur attribua la plus haute note du barème.

Contre toute attente, même les Ratrock Boys se montrèrent aimables, félicitant sincèrement les Téa Sisters. Enfin, Sourya arbora un large sourire, satisfaite du succès de ses élèves...

*Mais une plus grande
surprise l'attendait encore !*

Après le morceau des Téa Sisters, un nouveau CHANTEUR se joignit à l'orchestre sous les applaudissements du public : **Mark** !

Le producteur avait ajouté une toute dernière chanson au programme, destinée à prouver à Sourya que malgré les années et les incompréhensions passées, rien n'avait changé entre eux !

Comme Mark et les Téa Sisters en étaient convenus, Violet s'assit au **Piano** et commença à jouer les premières notes d'une très tendre ballade.

Sourya sentit une grande *émotion* la saisir en reconnaissant SUR LA ROUTE DU SUCCÈS, le morceau que Mark et elle n'avaient jamais fini. Des larmes de **JOIE** coulèrent sur ses joues :

Mark avait complété la chanson… et l'interprétait pour elle !

Elle monta sur scène pour SERRER dans ses bras son vieil ami, qui se réjouit de lui rendre son étreinte : après tant d'années, ils s'étaient enfin RETROUVÉS !

– Oh, Mark ! sanglota Sourya. Je n'aurais jamais dû TAKTIK et abandonner notre duo !

COMME ILS SONT TOUCHANTS !

Son ancien complice lui SOURIT tendrement et expliqua :

– Je ne voulais pas te priver de ton rêve, c'est pour ça que je ne t'ai pas demandé de rester : tu devais être libre de SAISIR la grande occasion qui s'offrait à toi !

Les Téa Sisters se remirent à jouer, très émues. C'était si touchant de les voir *ensemble* !

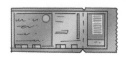

UNE SOIRÉE INOUBLIABLE !

Au terme des auditions, le groupe des Téa Sisters fut donc choisi pour assurer la première partie du concert des **Ratrock Boys**.

On conçut des affiches arborant en GROSSES lettres le nom du célèbre groupe, suivi, en plus *petit*, de celui des Rock Sisters !

La **soirée** du concert fut un événement qui marqua durablement le **cœur** des cinq amies. Avant de monter sur scène, elles se serrèrent très fort.

– Les filles, nous donnerons le meilleur de nous-mêmes, j'en suis sûre ! lança Nicky.

– Et surtout, nous nous amuserons

follement ! ajouta Colette en adressant un **CLIN D'OEIL** à Violet.

Celle-ci le lui rendit, ainsi qu'un CHALEU-REUX sourire.

– En effet, après les répétitions, les erreurs, la fatigue et les discussions, il n'y a finalement que cela qui compte : jouer dans la JOIE, afin d'en faire profiter ceux qui nous écoutent !

Dès la première note, l'ÉNERGIE des Rock Sisters JAILLIT sur la scène comme l'eau d'un torrent au milieu de la plaine, **EMPORTANT** le public avec elle.

Tous chantèrent et dansèrent à leur suite, remplissant l'air de JOYEUSES vibrations et d'une euphorie contagieuse.

Les Téa Sisters, radieuses, auraient voulu continuer à jouer indéfiniment !

Les Ratrock Boys furent si impressionnés par leur vitalité qu'ils les rappelèrent ensuite pour

♪ Interpréter ♪ ♪ un morceau avec eux.

CE FUT UNE SOIRÉE INOUBLIABLE !

Dès le lendemain du concert, malheureusement, Mausington et les garçons devaient repartir.

Quand vint le moment des adieux, les Téa Sisters promirent de rester en contact avec Joël, qui avait fini par se révéler un vrai AMI.

Sourya et Mark, eux aussi, se saluèrent avec émotion et purent se quitter, sereins.

Comme ils avaient recommencé à se parler avec le cœur, la distance ne serait plus un problème !

En observant le grand HÉLICOPTÈRE rouge s'éloigner dans le ciel limpide, les filles se sentirent plus UNIES que jamais.

Cette expérience leur avait montré que l'amitié véritable permet de dépasser n'importe quel obstacle et nous accompagne le long du chemin que nous décidons d'emprunter, même quand il s'agit de...

la route du succès !

TABLE DES MATIÈRES

Geronimo Stilton

DANS LA MÊME COLLECTION

ÎLE
DES BALEINES

L'île des Baleines

1. Pic du Faucon
2. Observatoire astronomique
3. Mont Ébouleux
4. Installations photovoltaïques pour l'énergie solaire
5. Plaine du Bouc
6. Pointe Ventue
7. Plage des Tortues
8. Plage Plageuse
9. Collège de Raxford
10. Rivière Bernicle
11. *L'Antique Cancoillotterie,* restaurant et siège des *Messageries Ratiques* *– Transports maritimes*
12. Port
13. Maison des Calamars
14. *Zanzibazar*
15. Baie des Papillons
16. Pointe de la Moule
17. Rocher du Phare
18. Rochers du Cormoran
19. Forêt des Rossignols
20. Villa Marée, laboratoire de biologie marine
21. Forêt des Faucons
22. Grotte du Vent
23. Grotte du Phoque
24. Récif des Mouettes
25. Plage des Ânons

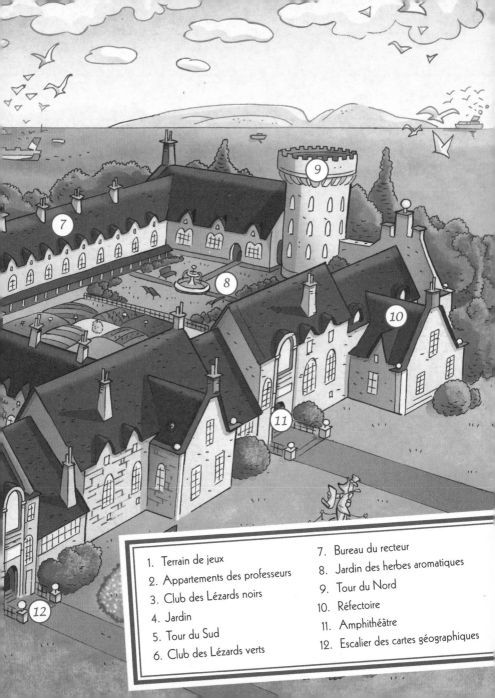

1. Terrain de jeux
2. Appartements des professeurs
3. Club des Lézards noirs
4. Jardin
5. Tour du Sud
6. Club des Lézards verts
7. Bureau du recteur
8. Jardin des herbes aromatiques
9. Tour du Nord
10. Réfectoire
11. Amphithéâtre
12. Escalier des cartes géographiques